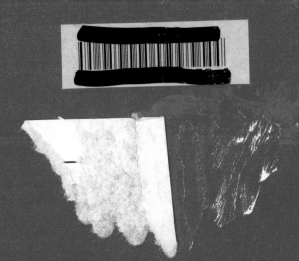

© A & C. Black (Publishers) Limited, London, 1984
Titre original : Broad Bean

© De Boeck-Wesmael, s.a., 1989
203, Avenue Louise, 1050 Bruxelles
D 1989/0074/36
ISBN 2-8041-1194-6

Exclusivité en France :
Editions Gamma
77, rue de Vaugirard
75006 Paris
ISBN 2-7130-0990-1
Dépôt légal : D 1989/0195/32

Exclusivité au Canada :
Les Editions Ecole Active
2244, rue Rouen
Montréal H2K 1L5

Dépôts légaux :
2e trimestre 1989
Bibliothèque nationale du Québec
Bibliothèque nationale du Canada
ISBN 2-89069-197-7

Imprimé en Belgique

Le bourdon

Jens Olesen
Photos de Bo Jarner

Voici un bourdon.

As-tu déjà vu un bourdon?
Regarde la grande photo. Ce bourdon va se nourrir
dans une fleur.

Au printemps, les bourdons construisent un nid sous terre.
Ce bourdon a trouvé un trou où vivait une souris.
Cet endroit sûr est idéal pour un nid.

Au fil des images, tu découvriras ce qui se passe dans un nid
de bourdons.

La reine des bourdons construit un nid.

Ces bourdons se trouvent à l'intérieur de leur nid, sous terre.
Le grand bourdon est la reine. C'est elle qui a construit le nid.

Au printemps et en été, la reine des bourdons pond des
centaines d'œufs qui, après plusieurs transformations,
deviendront des ouvrières.
Voici une reine comparée à une ouvrière.

reine   ouvrière

Regarde la photo. Les deux petits bourdons sont des ouvrières.
Les enveloppes brun-clair sont appelées des **cocons.**
C'est à l'intérieur des cocons que les ouvrières grandissent.
Les ouvrières aident la reine à veiller sur les cocons.

La reine des bourdons pond quelques œufs.

Regarde la grande photo. La reine pond quelques œufs.
A l'intérieur des enveloppes dorées, des ouvrières
grandissent déjà.

La reine pond ses œufs dans une coupe de **cire.** Elle fabrique
cette cire à l'intérieur de son corps.

Ces œufs sont fort agrandis. En réalité, ils ne sont pas plus
longs que trois petits points.
Après la ponte, la reine ferme la coupe avec un peu de cire
supplémentaire.

La reine des bourdons garde ses œufs au chaud.

Regarde la photo. La reine des bourdons est couchée sur la coupe de cire qui contient les œufs. Elle garde les œufs au chaud. Si les œufs refroidissent, ils n'**écloront** pas.

Regarde le dessin. Vois-tu la coupe de cire qui contient les œufs ? Elle est au-dessus de quelques cocons.

Des **larves** sortent des œufs.

Au bout d'environ cinq jours, chaque œuf donne naissance à
une larve blanche.
Voici le dessin d'une larve.

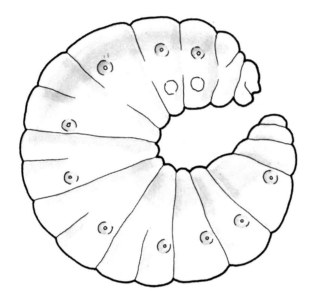

La larve n'a ni yeux, ni pattes, ni ailes.

Regarde la photo. Vois-tu les larves ?
La reine et les ouvrières nourrissent les larves, qui grossissent
de jour en jour.

Les ouvrières récoltent le nectar des fleurs.

Les ouvrières puisent la nourriture dans les fleurs et la rapportent au nid.

Cette ouvrière aspire un liquide sucré, appelé le nectar. Elle se sert de sa langue comme d'une paille.

Regarde la grande photo.
L'ouvrière fait couler le nectar de son estomac dans un pot de cire, appelé pot à miel.

Plus tard, les ouvrières ou la reine donneront un peu de nectar aux larves.

Les ouvrières récoltent le pollen des fleurs.

Lorsqu'une ouvrière se pose sur une fleur, une poussière
jaune, appelée le pollen, s'accroche à ses poils.
Regarde le dessin.

L'ouvrière a des rangées de longs poils sur les pattes postérieures.
Elle amasse le pollen entre les poils et retourne vers le nid.

Regarde la photo. Une ouvrière semble porter un pantalon jaune.
En fait, ce sont des amas de pollen collés à ses pattes.
Ce pollen sert de nourriture pour les larves.

La larve se transforme en nymphe.

Les larves sont ainsi nourries pendant douze jours environ. Ensuite, chaque larve fabrique un beau cocon de soie tout rond. Vois-tu ces cocons sur la photo ? A l'intérieur du cocon, la larve se transforme en **nymphe.**

Ce dessin te montre un cocon coupé en deux pour que tu puisses voir la nymphe.

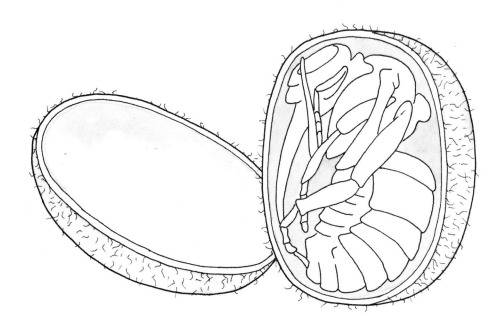

Il faudra encore deux semaines pour que la nymphe se transforme lentement en une ouvrière adulte.

Des ouvrières sortent des cocons.

Lorsque la transformation est achevée, l'ouvrière adulte ronge le sommet du cocon.

Regarde la grande photo. Cette ouvrière vient de sortir de son cocon. Son corps est pâle et mou, mais dans quelques heures elle ressemblera aux autres ouvrières.

De nouvelles reines éclosent et trouvent un compagnon.

A la fin de l'été, quelques larves se transforment en bourdons mâles. Plus tard, d'autres larves se transforment en nouvelles reines.

Les bourdons mâles et les reines quittent le nid. Chaque mâle doit trouver une nouvelle reine pour **s'accoupler.**

Regarde la photo. Cette nouvelle reine s'accouple avec un bourdon mâle. Au printemps prochain, elle pourra pondre des œufs qui se transformeront en ouvrières.

Les nouvelles reines dorment tout l'hiver.

En automne, la vieille reine, les ouvrières et les mâles meurent tous.
Les nouvelles reines vivent jusqu'à l'année suivante.

Regarde la photo. Cette nouvelle reine s'apprête à creuser un terrier dans la terre. Tout au long de l'hiver, la reine dort dans son terrier.

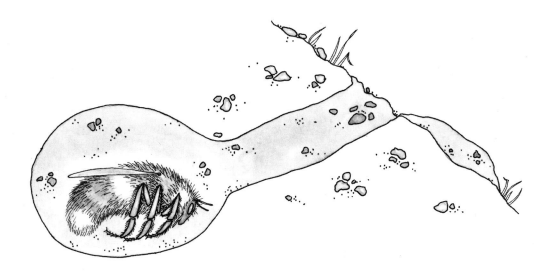

Au printemps, elle se réveillera et partira à la recherche d'un endroit où construire un nid.

Devine ce qui va se passer...

Pourrais-tu raconter avec tes propres mots comment l'œuf se transforme en bourdon?
Sers-toi de ces images pour t'aider.

Observe un bourdon lorsqu'il se pose sur les fleurs dans un parc ou un jardin. Essaie de repérer les amas de pollen collés à ses pattes postérieures. Tu verras péut-être le bourdon enfoncer sa langue dans les fleurs pour en sucer le nectar.

PETIT LEXIQUE

S'accoupler : le bourdon mâle et la reine s'accouplent, ils s'unissent pour que la reine devienne capable de pondre des œufs.

Cire (la) : la cire est une substance molle et jaune que fabriquent les abeilles et les bourdons. On l'utilise pour fabriquer des cierges et de la cire pour les meubles.

Cocon (le) : c'est l'enveloppe de soie que tisse la larve du bourdon, et dans laquelle elle se transforme peu à peu en nymphe, puis en ouvrière adulte.

Éclore : l'œuf éclôt, il s'ouvre pour laisser sortir la larve qui s'y est développée.

Larve (la) : c'est la forme qu'a le bourdon avant de devenir adulte (une sorte de petit ver blanchâtre). La chenille est la larve du papillon.

Nymphe (la) : la larve change d'aspect, elle devient nymphe en prenant peu à peu la forme du bourdon adulte.